艾蜜莉被派去接高登的特别车厢，可是狄塞尔却把车厢藏了起来，艾蜜莉到处都找不到。遇到这种问题，艾蜜莉该怎么办？

问题就是纸老虎

有人说，生活就是问题叠着问题。但面对同样的问题，不同的人有不同的解决方法，不同的解决方法对应不同的解决效果。那么，在人际交往越来越密集的今天，纷至沓来的问题到底是纸老虎还是真猛兽，就要看我们是否拥有有效解决问题的能力。怎样才能获得解决问题的能力？我们不妨借鉴一些"成功者"的经验。

有一项针对世界500强企业员工工作成就影响因素的大规模调查，其结论令人惊讶：不论什么行业，情商和智商对于一个人的工作成就都有影响。而影响的智商与情商比为1：2，越到公司高层，差距越悬殊，智商和情商之比达到1：6。因此，智商不是影响人解决问题的首要因素。

美国斯坦福大学一项研究表明：一个人获得财富的多少，83.7%与其人际关系和性格相关，只有16.3%与其学历、知识相关。可见，凡有成就者，其合作意识、沟通能力、关爱协调、谦逊忍让、忠诚敬业等与人际交往相关的因素，才是影响其解决问题能力的重要因素，直接与孩子幸福生活的体验相关。

主动解决问题的意识和能力越早培养效果越好，0~6岁最为关键。学前期，如果能够培养孩子正确看待问题的意识，思考解决问题的方法，拥有不怕困难积极尝试的勇气，那么问题就会在孩子面前变成纸老虎，生活的乐趣会徐徐在孩子面前展开，幸福生活的能力会让孩子获益终身。

中国教育学会家庭教育专业委员会秘书长、东北师范大学家庭教育学教授

托马斯和朋友
一定有办法

糟糕！特别车厢不见了

童趣出版有限公司编　人民邮电出版社出版
北　京

夏天到了,多多岛上热闹极了。小火车们有很多工作要做,他们沿着铁路线忙碌地奔跑着。有的去接游客们到岛上来度假,有的送孩子们去动物园参观,还有的运送货物到岛上的各个地方。

又高又大的高登创造了最快行驶新纪录，所有的火车都兴奋极了。
这天早上，胖总管对高登说："我要给你一个惊喜，高登！"高登神气
十足地打了一个呼哨："呜——"他真是得意得不能再得意了。

　　胖总管交给艾蜜莉一个重要任务——去取两节特别车厢。这两节车厢是为了庆祝高登的新纪录专门准备的。艾蜜莉喷着烟，穿过宁静的乡村和田野。她喘着粗气念叨："我可不能晚了呀！"

　　跑着跑着，艾蜜莉口渴了，她停下来喝水。突然，狄塞尔出现了。他油腔滑调地说："艾蜜莉，你看起来很高兴啊！"艾蜜莉说："高登创造了新纪录，我要去接胖总管送给他的特别车厢。"

　　狄塞尔气呼呼地说："哼，又不是只有高登才特别！"艾蜜莉撅起嘴："难道你有什么特别的？我可没时间听你说话，我得去接特别车厢了。"说完，艾蜜莉就开走了。这让狄塞尔非常生气。

　　艾蜜莉赶到调车场，但是高登的特别车厢不在那里。托马斯说："狄塞尔已经把它们接走了。"艾蜜莉生气地大叫："那是我的工作！我必须找到它们，要是赶不上高登的颁奖典礼就糟了。"

　　艾蜜莉绕着多多岛飞跑起来。在那里！艾蜜莉看到狄塞尔正在等信号灯，他身后拉着那两节特别车厢。艾蜜莉生气地问："狄塞尔，你为什么要带走高登的特别车厢？"

　　"因为……"狄塞尔刚张开嘴，艾蜜莉就打断他的话："我没有时间听你说话，你赶紧把车厢给我。""不听我说我就不给!"狄塞尔大吼一声，飞快地跑掉了，轮子能转多快就转多快。

　　艾蜜莉紧追不舍："你快停下！"可是狄塞尔根本不听。时间越来越晚了，狄塞尔像平常一样又开始耍花招了，可怜的艾蜜莉根本抓不到他。艾蜜莉像小傻瓜一样追着狄塞尔，她觉得自己傻极了。

　　最后，艾蜜莉气喘吁吁地赶到梅斯威站，胖总管正站在那里等她。他问道："高登的特别车厢在哪里？"艾蜜莉小声说："对不起，先生，狄塞尔把它们带走了。"艾蜜莉觉得很抱歉。

动脑时间

小朋友，故事讲到这里，请你停下来，想一想：

? 艾蜜莉遇到了什么问题？

艾蜜莉去接高登的特别车厢，但狄塞尔却抢先一步把车厢接走了。

? 这个问题产生的原因是什么？

艾蜜莉不愿意听狄塞尔说话，狄塞尔生气了，他把特别车厢拉走了。

? 遇到这样的问题，该怎么解决呢？看看下面这两种办法好不好？

办法一： 艾蜜莉找不到特别车厢，只好请求胖总管延迟举行高登的颁奖典礼，高登很生气，胖总管也很生气。

办法二： 艾蜜莉找哈罗德帮忙，哈罗德飞到多多岛上空，找了很多地方才找到狄塞尔，耽误了哈罗德的工作。

小朋友有什么好办法？

看看艾蜜莉是怎么做的！

　　胖总管气得嗓门儿更大了："特别车厢是送给高登的，因为他开快车创造了新的纪录。艾蜜莉，这是很重要的任务。我们必须马上找到狄塞尔。""是的，先生。"艾蜜莉小心翼翼地回答。

　　胖总管爬上艾蜜莉的车厢，他们出发去找狄塞尔。狄塞尔正在轨道上跑着，他把特别车厢藏在一条岔路上。可他还是觉得很不开心。就在这时，狄塞尔看到艾蜜莉载着胖总管朝他开过来。

　　"狄塞尔！"胖总管严厉地大喊，"特别车厢在哪里？"狄塞尔小声说："在一条岔路上，先生。"胖总管生气地下令："马上带艾蜜莉去拉来！""是——先生。"狄塞尔不情愿地拖长声音。

　　狄塞尔带着艾蜜莉找到特别车厢，这时，艾蜜莉看见一股一股的黑烟从狄塞尔的发动机里冒出来。艾蜜莉问："你怎么了？"狄塞尔担心地说："我的发动机老了，这样到处乱跑，把它累坏了。"

　　艾蜜莉埋怨道："谁让你拉着别人的特别车厢乱跑呢！"狄塞尔气愤地嚷着："谁让你不听我说话！""我为什么要听臭臭的老狄塞尔说话？"艾蜜莉撅着嘴，她一点儿也不想听狄塞尔说下去。

"因为破纪录的可不止高登一个，我也破过。"狄塞尔感觉很委屈。艾蜜莉大吃一惊，她从来没有问过狄塞尔生气的原因。狄塞尔接着说："有一天，我拉货拉得比任何柴油机车都多。"

　　说完，狄塞尔咔嚓咔嚓地开走了。"天哪！"艾蜜莉难过地说，"我真傻！怪不得狄塞尔要带走特别车厢呢，因为他跟高登一样特别呀！"她想：要是早点知道原因，事情就不会变得这么糟糕了。

　　艾蜜莉觉得对狄塞尔抱歉极了。她想啊想，终于想到了一个主意，她要让狄塞尔知道别人也一样重视他的出色成绩。她立刻开往纳普福特站，高登的特别车厢在她身后咣当咣当地响个不停。

　　艾蜜莉咔嚓咔嚓开进纳普福特站，稳稳地停在胖总管旁边。艾蜜莉对胖总管说："先生，原来狄塞尔也破过纪录，他跟高登一样特别。我有个主意能让狄塞尔跟高登一样获得嘉奖。"

　　胖总管听得非常认真。等艾蜜莉说完，胖总管赞赏道："这是个很好的主意，艾蜜莉。你找到了问题产生的原因。通知狄塞尔今天下午来纳普福特站参加颁奖典礼。现在，你马上去完成你的新任务吧！"

　　艾蜜莉高兴地说："是的，先生。"她飞快地开出车站，找到狄塞尔，狄塞尔正躲在调车场难过呢。艾蜜莉说："狄塞尔，今天下午你必须去纳普福特站。"然后，艾蜜莉迅速地开走了。

　　下午，所有的小火车都聚集在纳普福特站。颁奖典礼开始了，胖总管把特别车厢奖给了高登。他说："干得漂亮，高登！"高登骄傲地喷出一股烟。"谢谢先生，我的特别车厢真是帅极了！"

　　就在这个时候，艾蜜莉开进了车站，她的车上拉着一个崭新的柴油机车发动机。艾蜜莉高兴地说："这个新发动机是奖给你的，狄塞尔，你跟高登一样棒！"狄塞尔吃惊得瞪大了眼睛。

　　"对不起，我没有听你说话！"艾蜜莉抱歉地说，"现在我知道了，柴油机车和蒸汽机车一样出色！"狄塞尔不好意思地笑了，所有的小火车都热烈地欢呼起来，为了高登，更为了狄塞尔。

小火车放映厅

艾蜜莉是怎么解决问题的？她有什么好办法？请你说一说。

艾蜜莉喝水的时候遇到了谁，他们都说了些什么？

托马斯说了什么事情，让艾蜜莉很生气？

狄塞尔为什么生气地离开了？

新的发动机奖励给了谁？

当我听到狄塞尔拉走特别车厢时，我气坏了，却从没有想过问狄塞尔原因。解决问题不仅仅需要想办法，还需要找出问题产生的原因，这样问题解决起来才会容易啊！

多多岛动力站 ①

石头硌坏的。　　小羊啃坏的。　　小猫撞坏的。

一天，胖总管发现高登的轮子坏了，聪明的小朋友，你能猜出高登的轮子是怎么坏掉的吗？

家长小贴士： 家长可以引导孩子发散思维，想想哪种东西的破坏力最强。

高登去码头拉鱼时，听到了一个好消息：有一位大人物要来岛上。你能猜出是谁告诉高登这个好消息的吗？

家长小贴士：参考答案为看报纸的人。如果孩子有其他选择，只要理由充分，家长就应该给予鼓励。

大脑发动机①

亮亮最好的朋友今天一直不高兴，亮亮也开心不起来，亮亮用什么办法解决了这个问题？请你将小图按逻辑顺序排序。

问问小朋友不高兴的原因。

两个人一起想办法。

帮助小朋友解决问题。

大脑发动机 ②

公园里，亮亮和爸爸妈妈走散了，他很害怕也很着急。这可怎么办啊？下面几种解决问题的办法，你会用哪种呢？请在相应的图形里打钩。

沿着来时的路往回走。

原地不动，等爸爸妈妈来找。

向可靠的人寻求帮助。

思维隧道乐园①

高登是多多岛上跑得最快的火车，除了高登，还有什么交通工具跑得快？请你画一画吧！

家长小贴士： 家长可以启发孩子回答这些问题：你坐过哪些交通工具？你觉得它们中哪些速度快？

思维隧道乐园 ②

下面这个图形，添上几笔能变成什么？开动脑筋，动手画一画吧！

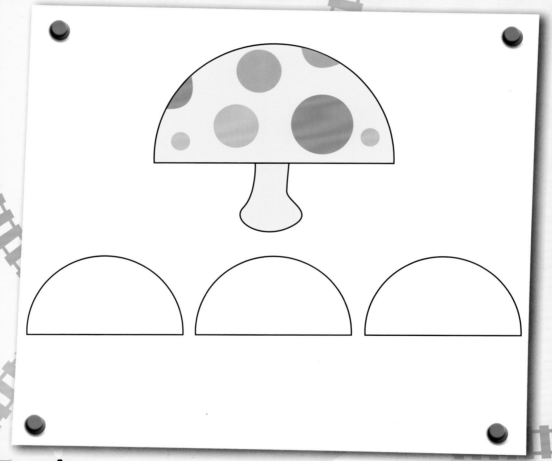

美美的娃娃掉到床底下了，床底下真黑呀，看不清娃娃在哪里。你能帮助美美选出最好的办法吗？

用书使劲儿扫一扫。　　　　　用镜子照一照。　　　　　让小猫去找。

家长小贴士： 可以利用镜子把光反射到床底下。家长可以和孩子在家中用镜子做实验，体验亲子活动的乐趣。

美美知道娃娃在床底的位置了，可她怎么也够不着。下面哪些东西能帮助美美够到娃娃？请把它们圈出来。

积木

裙子上的衣架

长背带的小书包

家长小贴士： 参考答案为裙子上的衣架和长背带的小书包。可以用衣架够娃娃，也可以抓住书包，用书包带去套娃娃。

儿歌乐园

小朋友，遇到问题别着急，动动脑筋想办法。这首儿歌你要牢记，再遇到问题时它会帮到你。

麻烦不是一个样，遇到麻烦别慌张。

想想这是为什么，找到原因就好了。

从头开始想办法，一步一步改善它。

大麻烦变小麻烦，小麻烦变不见了。

只要动脑想办法，困难再大也不怕。

适当的挫折教育

这里所说的挫折教育不是"苦其心志、劳其筋骨、饿其体肤"，而是在适当的时候让孩子对自己的能力进行客观的评价，让孩子明白自己的能力是有限的，有时候也有完不成的任务，有时候也必须面对棘手的难题，有时候还要体验失败的落寞和沮丧。

只有经历过失败的沮丧，才能体验到成功的愉悦，更重要的是，经历过失败的孩子，他们的内心才能建立起强大的围墙，抵抗挫折的击打。当然，这种击打要适度。

当孩子遇到问题时，父母应该提供一些帮助。这些帮助不是盲目的越俎代庖，而是要经过观察和具体分析。首先，父母要明确哪些问题是孩子可以轻而易举解决的，哪些是需要孩子做出一定的努力才能解决的，哪些是在孩子的能力范围内无法解决的。通过以上判断，父母就可以有选择地提供帮助。对于那些简单轻松的问题，家长可以把锻炼的机会留给孩子，让孩子用自己的方法来解决。对于这类问题，不需要给予孩子过多的表扬。对于那些需要一定努力才能解决的问题，家长要更多地扮演观察者的角色。观察孩子遇到的问题是什么、问题产生的原因，以及是否需要家长介入和帮助，帮助到什么程度。以协助者的角色帮助孩子解决问题以后，要给予孩子一定的肯定和鼓励。对于那些孩子能力范围内无法解决的问题，家长要指导孩子一步一步来完成，问题解决后除了让孩子总结经验，还要适当地鼓舞孩子，激励孩子解决问题的勇气和决心。

Thomas the Tank Engine & Friends™

CREATED BY BRITT ALLCROFT

Based on the Railway Series by the Reverend W Awdry

© 2012 Gullane (Thomas) LLC. A HIT Entertainment company.

Thomas the Tank Engine & Friends and Thomas & Friends are trademarks of Gullane (Thomas) Limited.

Thomas the Tank Engine & Friends and Design is Reg. U.S. Pat. & Tm. Off.

图书在版编目（CIP）数据

糟糕！特别车厢不见了/艾阁萌（英国）有限公司著；
童趣出版有限公司编. —— 北京：人民邮电出版社，
2012.6
（托马斯和朋友一定有办法）
ISBN 978-7-115-28122-7

Ⅰ.①糟… Ⅱ.①艾…②童… Ⅲ.①儿童文学—图
画故事—英国—现代 Ⅳ.①I561.85

中国版本图书馆CIP数据核字(2012)第078017号

托马斯和朋友一定有办法
糟糕！特别车厢不见了

策划编辑：李　佳
责任编辑：吕瑶瑶
封面设计：姜　婷
美术编辑：彭　琳　优优图文设计工作室
排版制作：宸唐装帧

编　　　：童趣出版有限公司
出　版：人民邮电出版社
地　址：北京市丰台区成寿寺路11号邮电出版大厦（100164）
网　址：www.childrenfun.com.cn

读者热线：010-81054177
经销电话：010-81054120

印　刷：北京尚唐印刷包装有限公司
开　本：889×1194 1/20
印　张：2
字　数：50千字
版　次：2012年6月第1版　2015年11月第18次印刷
书　号：ISBN 978-7-115-28122-7
定　价：9.80元

Until he landed on a stage...

coach. "I've found it! I've found my hop!" said Bullfrog as he rode out of town and far from the snake.

"And after all that hopping, I'm so hungry
I could eat **a horse**...

fly!" And he did.